Historia
de una manzana roja

Narración e ilustraciones de Jan Lööf

susaeta ediciones sa

Erase una vez un hombre con un traje a rayas.
Un día pasó por delante de una frutería
y pensó que le apetecería comerse una jugosa manzana.
Entró en la tienda para comprársela.

Al frutero le pareció que podía burlarse
del hombre del traje a rayas; le sacó una manzana
de plástico y, riéndose para sus adentros,
le aseguró que se trataba de una manzana estupenda.
"Es cierto que está un poco verde, pero si la pone al sol
madurará y ya verá lo sabrosa que le parece".

Cuando se marchó el hombre del traje a rayas,
el frutero salió al jardín para regar su manzano.
Lo cuidaba mucho porque del árbol colgaba
una espléndida manzana roja. Con ella pensaba ganar
el primer premio de la exposición de frutas.

El hombre del traje a rayas se marchó a su casa
con su manzana. Con aquella fruta
nunca podría ganar un premio
porque era de plástico.
Pero el hombre del traje a rayas no lo sabía.

Una vez en su casa, el hombre del traje a rayas
puso la manzana en el alféizar de la ventana
para que le diera el sol y madurara.

Después se puso a hacer la maqueta de un barco.
Estaba tan distraído con su trabajo
que no se enteró de nada de lo que sucedió a su alrededor.

No se dio cuenta
de que su papagayo tropezó con la manzana
y ésta cayó sobre la cabeza de una anciana.
La anciana, al sentir el golpe, gritó
y asustó al gato, que se subió a un árbol.

En aquel preciso momento pasaba por allí
un chico que se llamaba Pablo. La anciana le regañó
creyendo que era él quien le había tirado la manzana.
Pablo, sin saber por qué le reñían,
se fue llorando a su casa.

Iba tan despistado que cruzó la calle sin mirar a su alrededor.
El director de la escuela, que estrenaba coche,
tuvo que frenar bruscamente.

El coche, al frenar, perdió la dirección
y fue a chocar precisamente
contra la valla del jardín del frutero.

El frutero, enfadado al ver su valla tan estropeada,
insultó al director de la escuela,
y éste insultó al pobre Pablo. Nadie se fijó en Roberto,
un chico que pasaba en bicicleta camino de la escuela.

Al ver la manzana roja, Roberto pensó:
"Le llevaré a la maestra esta manzana tan hermosa,
tal vez así me ponga mejores notas",
y arrancó del árbol la manzana del frutero.

Pero la maestra no prestó atención a la manzana:
estaba malhumorada porque sus alumnos,
desobedientes,
no ocupaban sus puestos en la clase.

En realidad, los chicos estaban muy entretenidos
mirando por la ventana a un policía
que desde el patio de la escuela les preguntaba:
"¿Habéis visto por aquí a un hombre
que lleva una barba postiza y unas gafas de sol?
Se trata de un ladrón".

Pero no llegó demasiado lejos
porque en el vestíbulo
tropezó con el director de la escuela
y la manzana salió despedida.

Voló por la ventana y fue a parar inesperadamente
a las manos de un bombero que iba con otro compañero
a rescatar a un gato
que no podía bajar de lo alto de un árbol.

"¡Qué manzana tan estupenda!",
pensó mientras la mordía.

Pero para salvar al gato
necesitaba tener las manos libres;
por eso dejó la manzana
sobre el alféizar de una ventana.

Mientras tanto, el hombre del traje a rayas
había terminado la maqueta del barco.
Recordó su manzana y se acercó a la ventana
para ver si había madurado ya.
Al ver que estaba roja se alegró mucho.

Le molestó que la manzana estuviera mordida y,
creyendo que su papagayo era culpable,
le regañó diciéndole:
"¿No te da vergüenza
morder una manzana que no es tuya?"

Pero el hombre del traje a rayas
no estaba enfadado, sino contento.
Hacía un día muy bueno y tenía una hermosa manzana
decidió salir a dar un paseo para tomar el sol
mientras se la comía tranquilamente.
De paso iría a la frutería para dar las gracias
al frutero por. venderle una fruta tan rica.

El frutero, que estaba arreglando la valla del jardín,
se quedó sorprendido al escuchar al hombre del traje a rayas.
Entonces vio con sorpresa
que la manzana que éste tenía en la mano
se parecía mucho a la que él cuidaba
para presentar en la exposición de frutas.

El hombre miró su árbol
y gritó sin dar crédito a lo que veían sus ojos:
"¡Mi manzana no está!
¡No comprendo nada de lo que ha sucedido!"

El hombre del traje a rayas continuó su paseo;
no comprendía qué era lo que no comprendía el frutero.
Pero hubiera sido pedir demasiado
que alguno de los dos comprendiera
lo que era imposible de comprender.